Podría Ser Un Árbol

por Allan Fowler

Fotografías proporcionadas por: Fotos VALAN
Versión en español de Aída E. Marcuse

Asesores:
Dr. Robert L. Hillerich, Universidad Estatal
de Bowling Green, Bowling Green, Ohio.

Mary Nalbandian, Directora de Ciencias de las
Escuelas Públicas de Chicago, Chicago, Illinois.

Diseño de la tapa y diagramación de los libros de esta serie: Sara Shelton.

Catalogado en la Biblioteca del Congreso bajo:

Fowler, Allan
   Podría ser un árbol / por Allan Fowler
     p. cm.—(Mis primeros libros de ciencia)
    Resumen: Describe las características de los árboles y
ofrece ejemplos específicos, tales como: el arce, el abeto,
la magnolia y el secoya.
    ISBN 0-516-34904-X
    1. Árboles—Literatura juvenil. [1. Árboles] I. Título.
   II. Series.
    QK475.8.F68   1990   90-2207
   582.16-dc20   CIP
                                     AC

¿Cómo sabes que es
un árbol?

Si tiene un tronco de madera
recubierto de corteza,

si en sus ramas
crecen hojas verdes,

si sus raíces se hunden en la
tierra y crece hacia arriba—
es un árbol.
¡Es un árbol y está vivo!

Y...¿qué es cuando las hojas cambian de color? También podría ser un árbol

como este arce. En
otoño sus hojas
se vuelven rojas.

Y...¿qué es cuando tiene las ramas desnudas? También podría ser un árbol. En invierno, algunos árboles pierden las hojas.

12

¡Pero al llegar la primavera, las hojas crecen otra vez!

Y...¿qué es cuando tiene hojas verdes todo el invierno? También podría ser un árbol

como este abeto.

Y...¿qué es cuando está cubierto de flores?
También podría ser un árbol

como este hermoso cerezo.

Un árbol puede crecer en lugares fríos

o en lugares calientes.

O, como el árbol de Josué,
en desiertos muy,
muy secos,

o en el agua,
como el ciprés.
Y aún así es un árbol.

Un árbol puede ser tan alto
como un secoya

o tan diminuto como un bonsai.

Un árbol nos ofrece un lugar
para sentarnos a su sombra

y deliciosas frutas, tales como
las manzanas o las castañas

o las bellotas de los robles.
Y...¿quién se alimenta de
bellotas? ¡Las ardillas!

Un árbol es el hogar
de una familia de pájaros.

Así que, cuando hayas
plantado un árbol, podrás
decir que construiste
una casa.

Palabras Que Conoces

hojas

ramas

corteza

tronco

raíces

arce

abeto

cerezo

árbol de Josué

ciprés

secoya

bonsai

manzana

31

Índice Alfabético

Acerca del Autor:

Allan Fowler es un escritor independiente, graduado en publicidad. Nació en New York, vive en Chicago y le encanta viajar.

Fotografías:

Valan—Kennon Cooke, tapa, 15, 17, 23, 25, 26, 30 (abajo derecha), 31 (arriba izquierda, abajo izquierda, abajo derecha); Thomas Kitchin, 4, 28; Jean Bruneau, 5; Pam E. Hickman, 6; Stephen J. Krasemann, 9, 12, 20, 30 (abajo izquierda), 31 (arriba derecha); John Fowler, 11; Harold V. Green, 18; A. B. Joyce, 19; Wouterloot-Gregoire, 21, 31 (centro izquierda), Hälle Flygare, 22, 31 (centro derecha); J. A. Wilkinson, 24; Pam Hickman, 27; Lionel Bourque, 30 (arriba).

TAPA: Arce con las hojas rojas.

DATE DUE

#47-0108 Peel Off Pressure Sensitive